Meet big **E** and little **e**.

Trace each letter with your finger and say its name.

E is for

elf

E is also for

elephant

eleven

egg

edge

Ee Story

Meet **E**mmy.
Emmy is a little **e**lf.

Meet **E**mmy's pal, **E**d.
Ed is a big **e**lephant.

Ed takes **E**mmy to a nest with **e**leven **e**ggs in it!

6

Emmy sits on the **e**dge
of the nest. Look!
The **e**ggs are cracking.

Now, **E**mmy is an **e**lf
with big AND little pals.
How **ex**cellent!